KUMON

はじめての かみこうさく①集

できたね！シール《しーる》

1まい　おわったら、すきな　シールを「できたね！シート」に　1まいずつ　はりましょう。
がくしゅうした　ページに　はっても　よいでしょう。
ぜんぶ　おわったら、おおきな　シールを　ひょうしょうじょうに　はりましょう。（シールは　あまります）

1 りんご

おうちのかたへ

1枚ずつ切り離して学習しましょう。最初に、のりではる練習をします。はるパーツは、おうちのかたが切って渡してあげてください。のりのつけ方は、表紙の裏の説明を参考にするとよいでしょう。最初のうちは、白い部分からずれてはっても、気にする必要はありません。まずは、楽しくはることが大切です。

できあがり

のりで　はって、えを　かんせいさせましょう。

✂このパーツは、おうちのかたが切ってあげてください。

のり

2 たまのり

おうちのかたへ
お子さまがはさみを使いたがる場合は、自分で切らせてもかまいません。のりをぬる作業が難しいようでしたら、最初のうちはおうちのかたがのりをつけ、お子さまに渡してあげてもよいでしょう。

できあがり

のりで　はって、えを　かんせいさせましょう。

このパーツは、おうちのかたが切ってあげてください。

のり

3 ヨーヨー《よーよー》すくい

おうちのかたへ

はる位置が少しくらい曲がってしまっても、気にすることはありません。少しずつ、のりのつけ方も上達していきます。はりおえたら、おおいにほめてあげましょう。

できあがり

のりで　はって、えを　かんせいさせましょう。

✂このパーツは、おうちのかたが切ってあげてください。

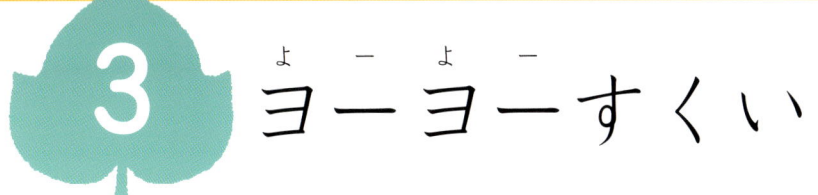

のり

4 おべんとう

おうちのかたへ
はりおえたら、「おいしそうなおべんとうだね」「おべんとうを持ってどこへ行こうか」などと、お話をして、お子さまの想像力を育ててあげてください。

できあがり

のりで　はって、えを　かんせいさせましょう。

✂このパーツは、おうちのかたが切ってあげてください。

のり

5 あじさい

おうちのかたへ

ぴったりと合わせてはるのは、お子さまにとって難しいことです。「角《かど》を合わせると、じょうずにはれるよ」などとヒントを与えながら、お子さまが楽しくはれるように見守りましょう。

できあがり

のりで　はって、えを　かんせいさせましょう。

✂このパーツは、おうちのかたが切ってあげてください。

のり

6 きゅうきゅうしゃ

おうちのかたへ

表紙の裏の「のりのつけ方」を参考にしながら、のりをうすくのばし、全体にいきわたらすようにして、はり合わせるとよいでしょう。

できあがり

のりで　はって、えを　かんせいさせましょう。

✂このパーツは、おうちのかたが切ってあげてください。

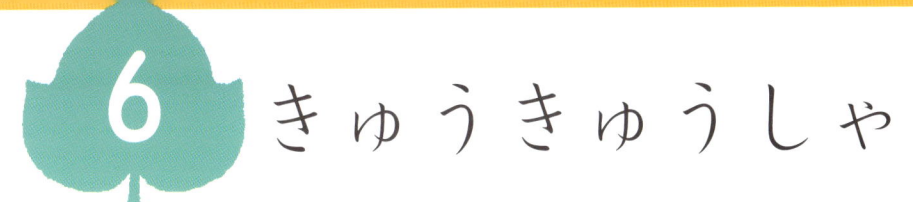

のり

7 しょうぼうしゃ

おうちのかたへ

できあがりの絵を見ながら、角《かど》を合わせるようにはるとよいでしょう。はりおえたら、文字を指さしながら、「しょうぼうしゃ」と読んであげましょう。

できあがり

のりで　はって、えを　かんせいさせましょう。

✂このパーツは、おうちのかたが切ってあげてください。

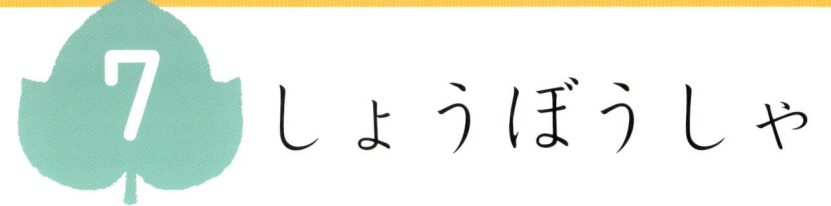

のり

8 あり

おうちのかたへ

ここからは、「切って、はる」練習になります。「切る」「はる」という２つの作業があるので、お子さまがとまどうようでしたら、声をかけながら進めてください。のりをつける部分が大きいので、うすくのばしながら、全体にのりがいきわたるようにはりましょう。

できあがり

を　きって、のりで　はり、えを　かんせいさせましょう。

のり

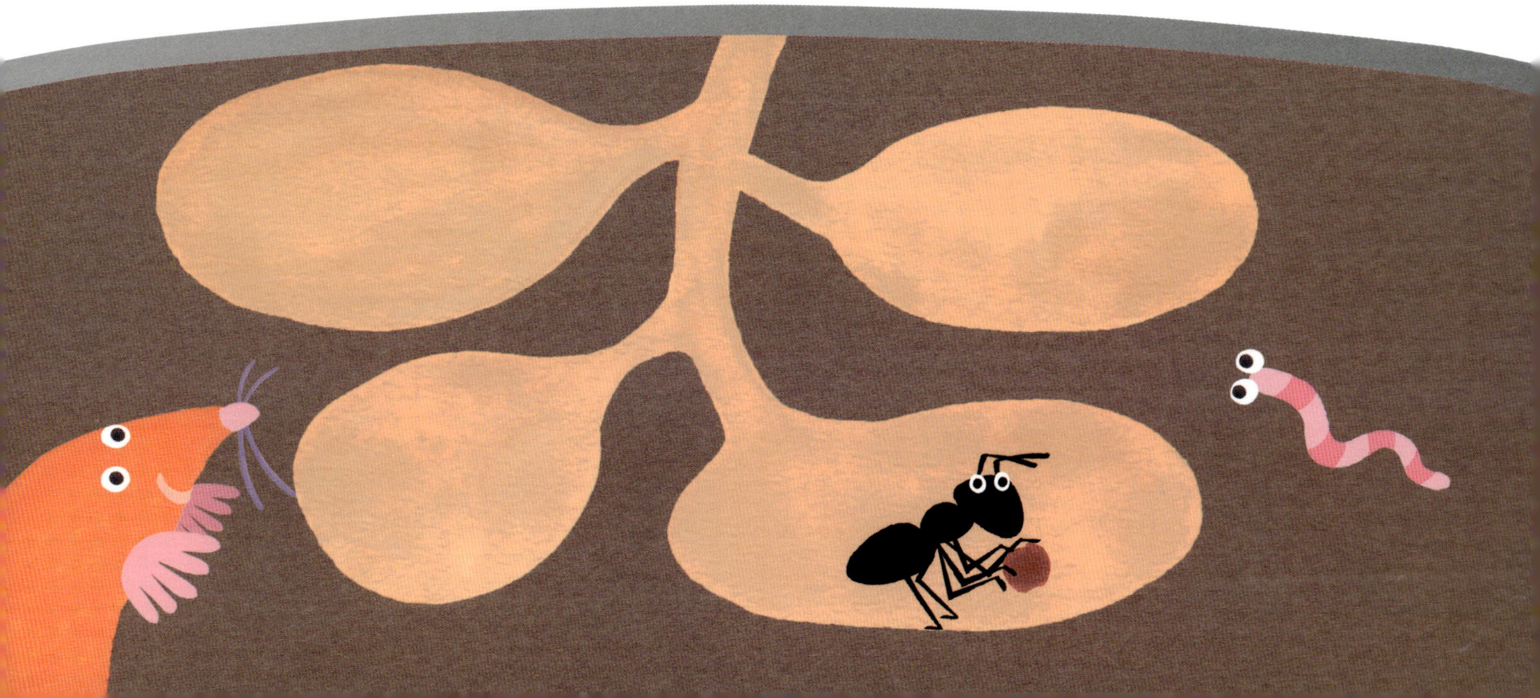

の　り

9 らっこ

おうちのかたへ

切り線通りに切れていないと、はり合わせたときに、絵が合わないことがありますが、同じ位置にはれていたら問題ありません。切り線の中央を切るように教えてあげるとよいでしょう。

できあがり

を　きって、のりで　はり、えを　かんせいさせましょう。

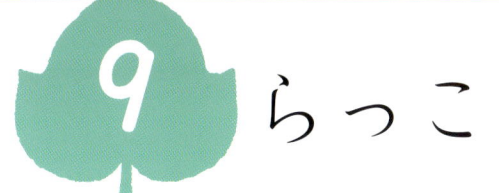

のり

10 ショベルカー《しょべるかー》

おうちのかたへ

ジグザグ線を切ることは難しいことです。角《かど》の部分でいったんはさみを止め、向きを変えてから進めるようにしましょう。

できあがり

を　きって、のりで　はり、えを　かんせいさせましょう。

の り

11 さかなやさん

おうちのかたへ

ここからの３枚は、お子さまがすきな場所にはります。まずは、直線を切ってから、それぞれの絵柄を切るようにしましょう。「ホタテ貝はどこにはろうか」「たこはどれかな」などとお話をしながら進めましょう。

こんなの　どうかな？

を　きって、すきな　ところに　さかなや　かいを　はりましょう。

↑ まず、ここを　きりはなしてから、すすめましょう。

のり

のり

のり

のり

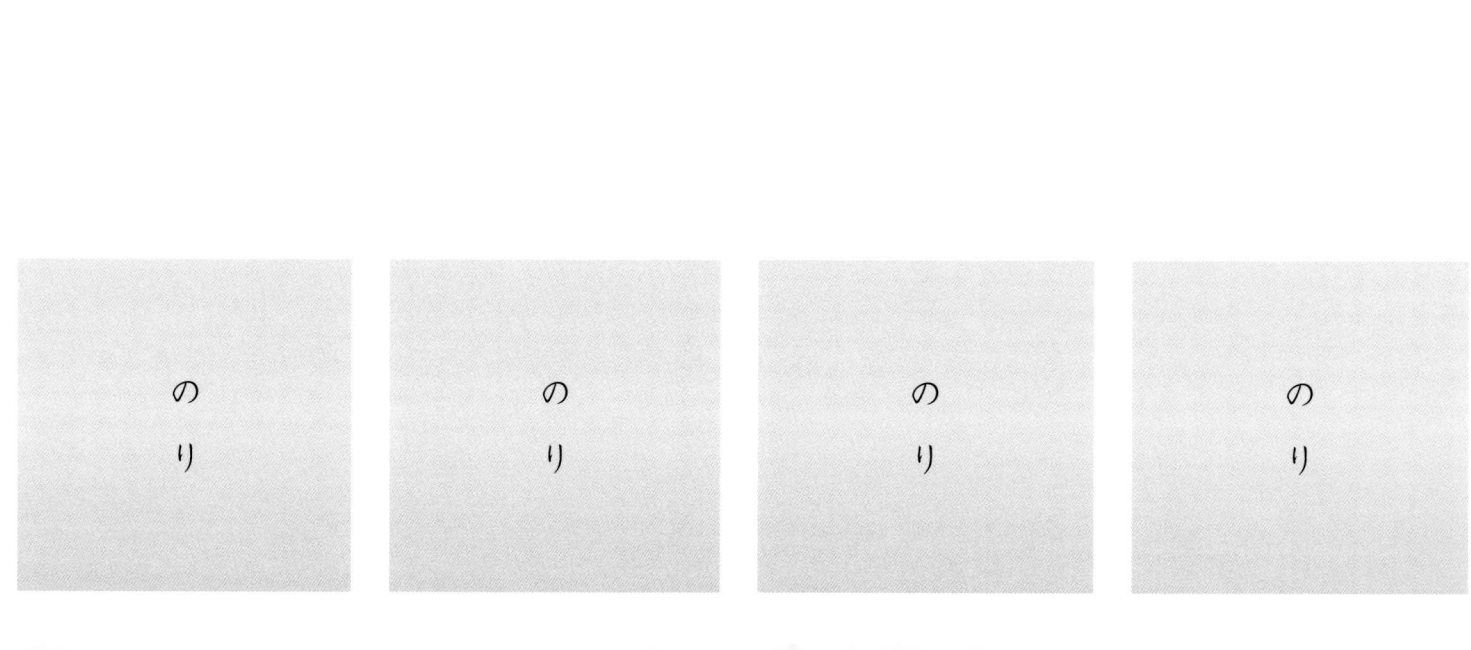

12　やおやさん

おうちのかたへ

見本通りではなく、お子さまがすきな場所にはってもかまいません。はりおえたら、「じょうずにできたね」とおおいにほめてあげましょう。その励ましが、次の作業へ進むお子さまの原動力になります。

こんなの どうかな？

を　きって、すきな　ところに　やさいを　はりましょう。

↑ まず、ここを きりはなしてから、すすめましょう。

のり

のり

のり

のり

13 おかしやさん

おうちのかたへ

小さな円を切りとるのは難しいかもしれません。ゆっくりていねいに切ることを教えてあげてください。「どのおかしがすきかな」などと、お話をしながら進めましょう。はりおえたら、買い物ごっこをしてあそんでもよいでしょう。

こんなの どうかな？

を　きって、すきな　ところに　おかしを　はりましょう。

↑ まず、ここを きりはなしてから、すすめましょう。

のり

のり

のり

のり

14 チューリップ《ちゅーりっぷ》

おうちのかたへ
ここからは、見本をヒントに分割された絵を完成させる内容です。のりをつける前に、切りとった紙を置いてみて、正しい位置を確認するとよいでしょう。

できあがり

を　きって、ならべかえて　のりで　はり、
えを　かんせいさせましょう。

↑ まず、ここを きりはなしてから、すすめましょう。

の　り

の　り

の　り

の　り

15 おこさまランチ《らんち》

おうちのかたへ
お子さまが迷っているようなら、おうちのかたが、絵を正しい向きにするなど、手助けしてあげてもよいでしょう。できあがったら、「じょうずに合わせられたね」「きれいにはれているね」など、具体的にほめてあげてください。

できあがり

を　きって、ならべかえて　のりで　はり、
えを　かんせいさせましょう。

↑ まず、ここを きりはなしてから、すすめましょう。

の　り

の　り

の　り

の　り

16 バ《ば》ス《す》

おうちのかたへ

バス停など、特徴のあるパーツを最初に置くと、判断しやすくなります。バスの車体など、わかりにくいところは、おうちのかたが見本としてはってあげてもかまいません。

できあがり

を　きって、ならべかえて　のりで　はり、
えを　かんせいさせましょう。

↑ まず、ここを きりはなしてから、すすめましょう。

の　り

の　り

の　り

の　り

17 パ《ぱ》ン《ん》ダ《だ》

おうちのかたへ

できるだけ角《かど》を合わせてはると、きれいにはることができます。はりおえたら、何ができたか聞いてあげましょう。お子さまが自分で正しい位置にはることができたら、おおいにほめてあげてください。

できあがり

━━を　きって、ならべかえて　のりで　はり、
えを　かんせいさせましょう。

↑ まず、ここを きりはなしてから、すすめましょう。

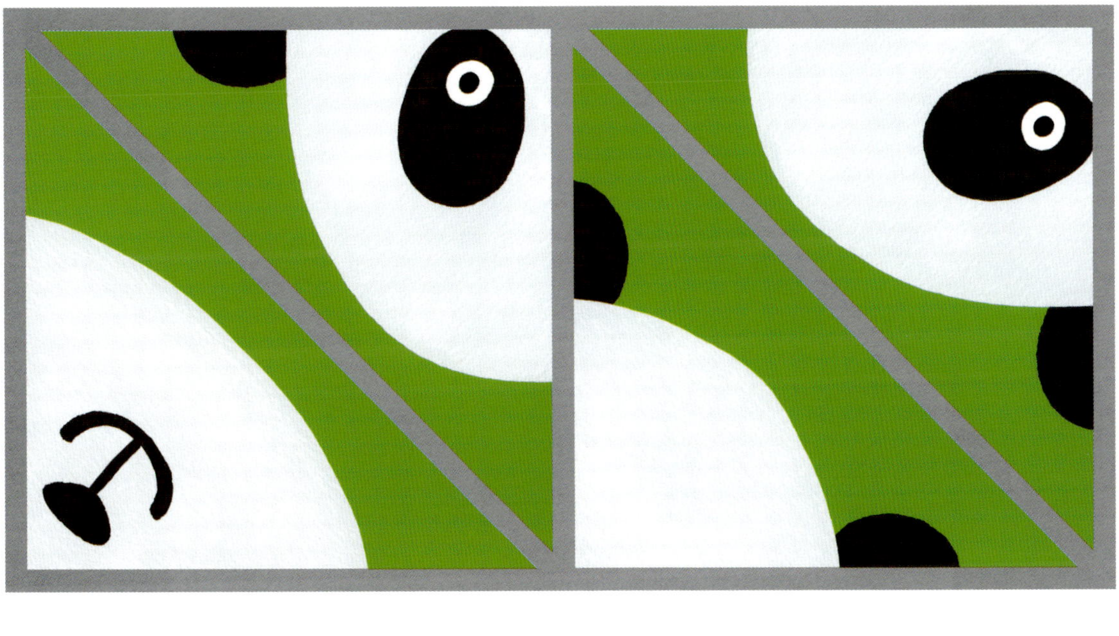

18 プ《ぷ》リ《り》ン《ん》

おうちのかたへ

パーツの数が増え、少し複雑になります。まずはのりをつけずに置いてみて、確認しながら進めましょう。はりおえたら、文字を指さして「プリン」と読んであげると、お子さまの文字への興味も高まります。

できあがり

を　きって、ならべかえて　のりで　はり、
えを　かんせいさせましょう。

↑ まず、ここを きりはなしてから、すすめましょう。

のり

のり

のり

のり

のり

のり

19 パトカー《ぱとかー》

おうちのかたへ
パーツが多くなってきました。お子さまが迷っているようなら、パーツをひとつひとつ渡してあげたり、正しい向きにしてあげたりして、手伝ってあげてもかまいません。

できあがり

━━を　きって、ならべかえて　のりで　はり、
えを　かんせいさせましょう。

↑ まず、ここを きりはなしてから、すすめましょう。

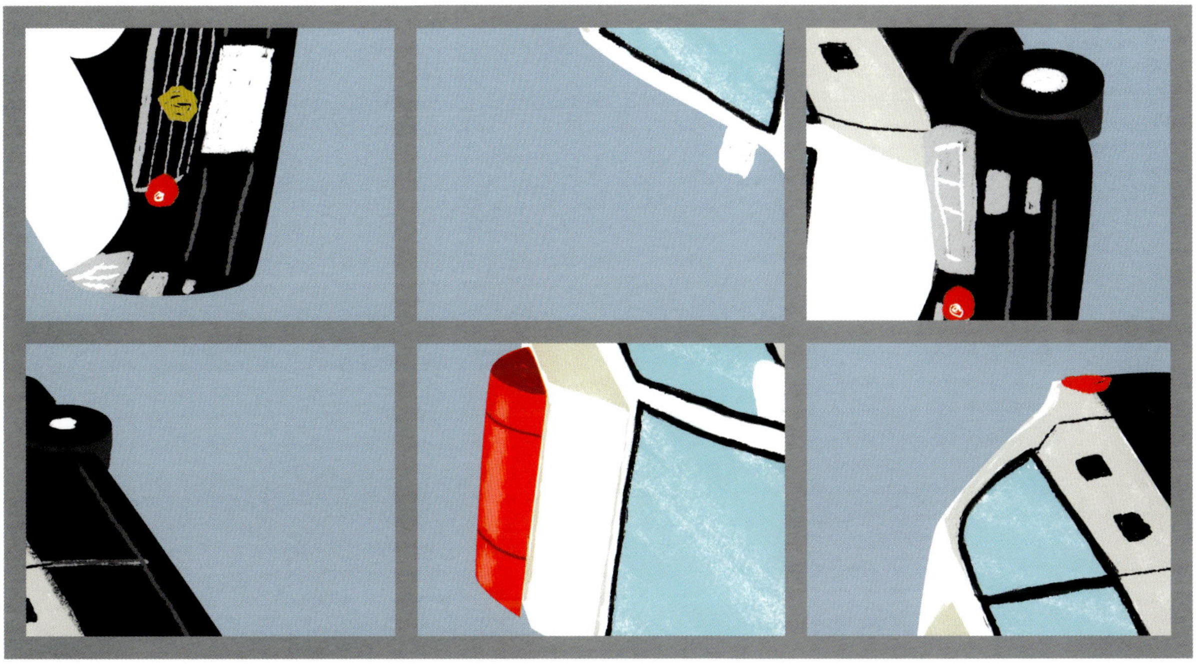

のり
のり
のり
のり
のり
のり

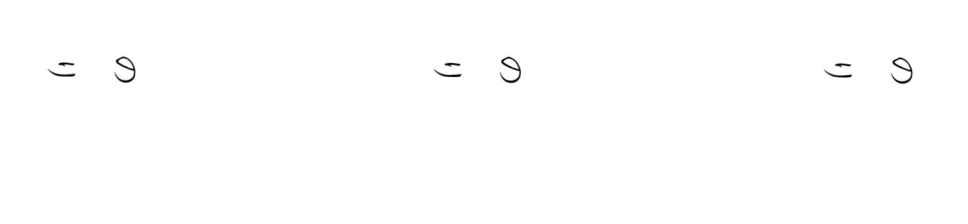

20 らくだ

おうちのかたへ

パーツの形が複雑になります。小さなパーツを直角に切ることはとても難しい作業です。やりとげたら、おおいにほめてあげてください。「次もがんばろう」「もっとやってみよう」という気持ちを育ててあげることが大切です。

できあがり

▬▬を　きって、ならべかえて　のりで　はり、
えを　かんせいさせましょう。

↑ まず、ここを きりはなしてから、すすめましょう。

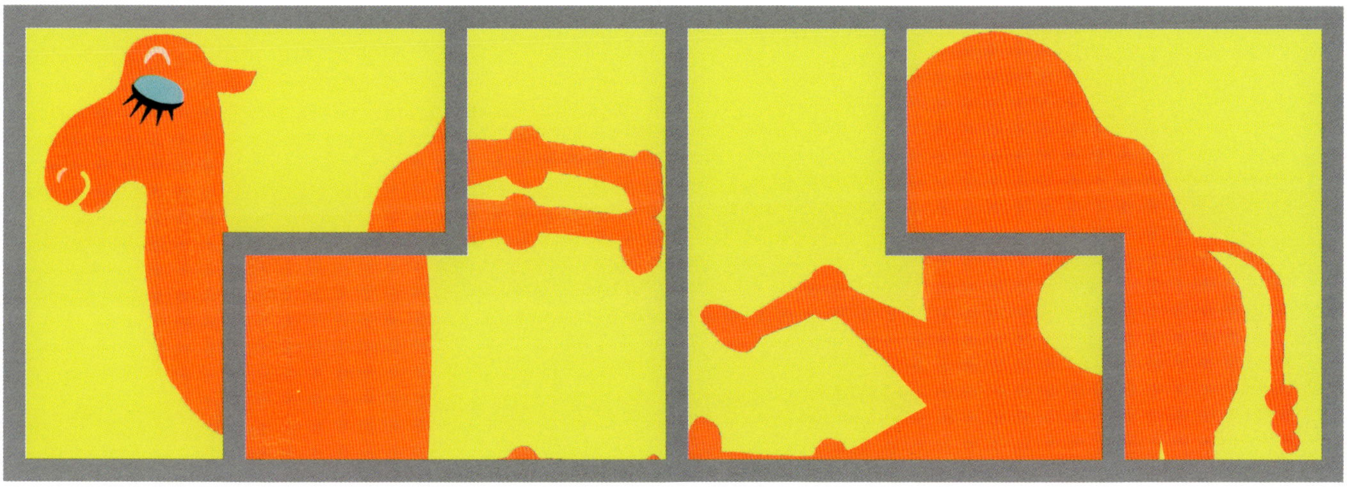

のり

のり

のり

のり

21 うま

おうちのかたへ

21から23までは、三角形、平行四辺形、台形、四角形を使って、絵を完成させます。じょうずにできたら、おおいにほめてあげましょう。

できあがり

を　きって、できあがりの　えと　おなじに　なるように　はりましょう。

↑ まず、ここを きりはなしてから、すすめましょう。

22 いぬ

おうちのかたへ
それぞれのパーツの特徴がわかりにくいかもしれません。
できあがりの絵をよく見て、進めるようにしましょう。

できあがり

を　きって、できあがりの　えと　おなじに
なるように　はりましょう。

↑ まず、ここを きりはなしてから、すすめましょう。

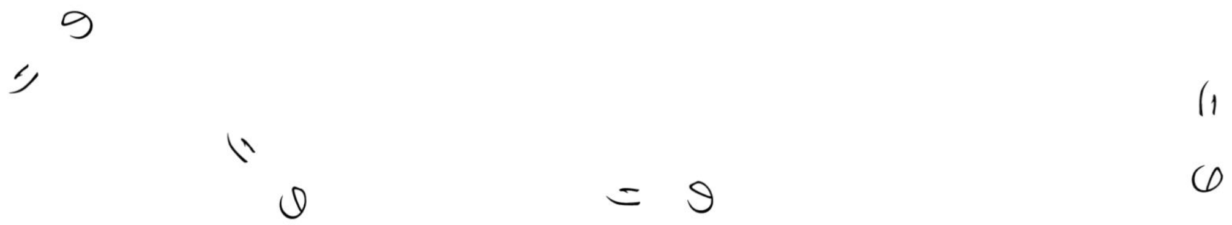

23 カ《か》メ《め》レ《れ》オ《お》ン《ん》

おうちのかたへ

「見本をよく見ようね」などと、お子さまが形に目を向けるように導いてあげましょう。カメレオンは長い舌でえさをとらえます。お子さまがはりおえた絵を見ながら、いっしょにお話をしてください。

できあがり

を　きって、できあがりの　えと　おなじに
なるように　はりましょう。

↑ まず、ここを　きりはなしてから、すすめましょう。

のり
のり
のり
のり

24 れいぞうこ

おうちのかたへ

24から27までは、動物たちがパーティーの準備をする工作です。はりおえたら、ドアを開閉させてあそびましょう。「パーティーにはどんな料理をつくろうか」など、先の工作が楽しみになるようなお話をしながら進めましょう。

できあがり

れいぞうこの　ド《ど》ア《あ》を　きって、のりで　はりましょう。

↑ まず、ここを きりはなしてから、すすめましょう。

◀れいぞうこの ド《ど》ア《あ》

のり

25 オーブン《おーぶん》

おうちのかたへ
はるところが小さいので、のりをつけすぎないように気をつけましょう。ドアがじょうずにつけられたら、おおいにほめてあげてください。

できあがり

オーブン《おーぶん》の　ドア《どあ》を　きって、のりで　はりましょう。

↑ まず、ここを きりはなしてから、すすめましょう。

◀オーブン《おーぶん》の ドア《どあ》

のり

26 フライパン《ふらいぱん》

おうちのかたへ

「ジュージュー焼けているね」などと、お話をしながら進めましょう。見本通りではなく、お子さまのすきなところにはってかまいません。

こんなの どうかな？

ハンバーグ《はんばーぐ》を　きって、のりで　はりましょう。

↑ まず、ここを きりはなしてから、すすめましょう。

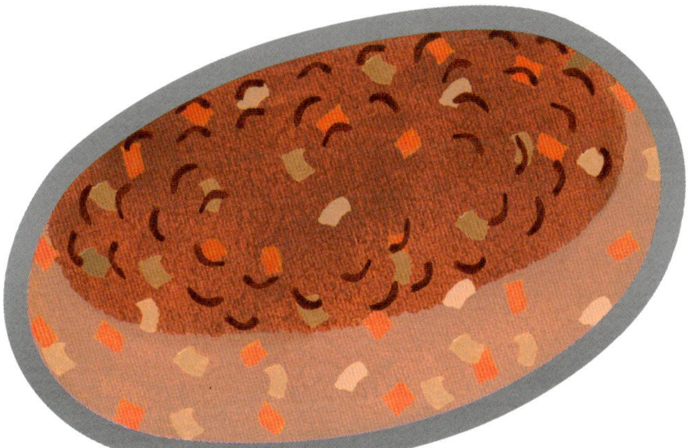

の り
の り

の り

の り

27 サラダ《さらだ》

おうちのかたへ

お子さまのすきな場所にはって、サラダを完成させましょう。はりおえたら、「おいしそうなサラダができたね」と、たくさんほめ言葉をかけてあげてください。

こんなの どうかな？

トマト《とまと》や　レモン《れもん》、ポテトサラダ《ぽてとさらだ》を　きって、のりで　はりましょう。

↑ まず、ここを きりはなしてから、すすめましょう。

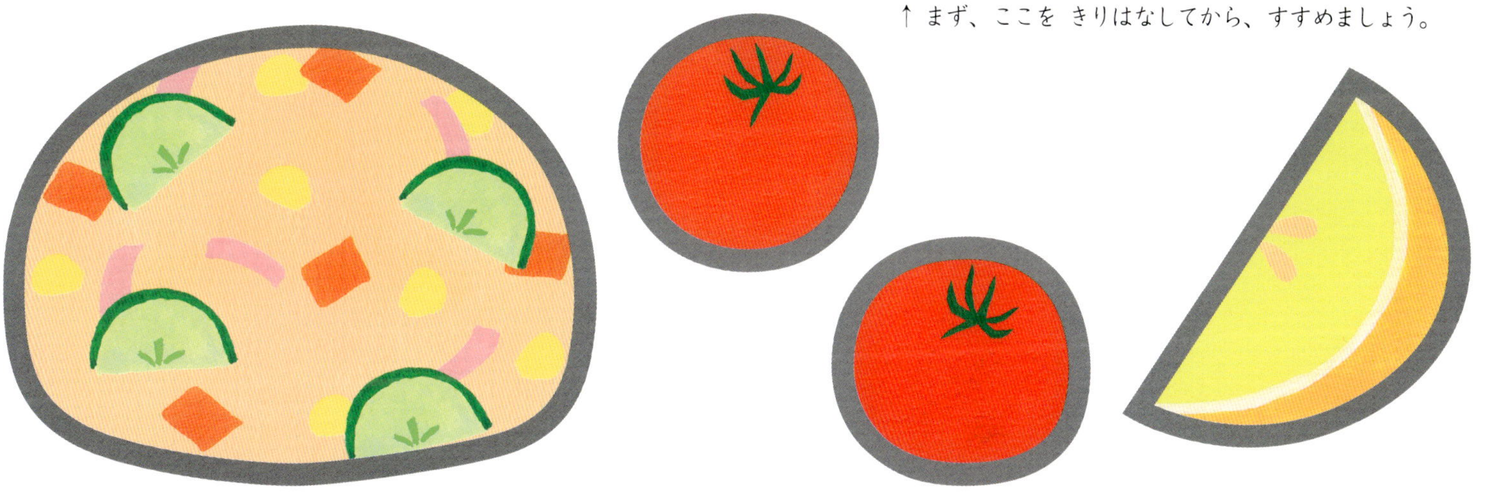

のり

のり

のり

のり

28 パーティー《ぱーてぃー》

おうちのかたへ

24から27で準備してきた料理で、パーティーのはじまりです。盛りつけされた料理を、お子さまのすきな場所にはりましょう。

こんなの どうかな？

りょうりを　きって、テーブル《てーぶる》の　うえに　はりましょう。

↑ まず、ここを きりはなしてから、
すすめましょう。

のり
のり
のり
のり

29 えほんを つくろう！

おうちのかたへ

ここから１１枚でひとつの作品になります。まず２９−１から２９−１０まで順に作業し、次に完成した絵の①と②の裏どうしをのりではりあわせます。同様に③と④、⑤と⑥……の裏どうしをはりあわせます。全部できたら①から⑩の順に並べ、のりしろ部分を山折り、谷折りの指示に合わせて折ったあと、端をのりではりあわせます。強度が足りないようでしたら、おうちのかたが右端をホッチキスでとめてあげましょう。最後にこのページ（表紙）を━ ━ ━ で山折りにし、折り返した部分を⑩ののりしろにはってできあがりです。

つぎの　ページ《ぺーじ》から　さいごの　ページ《ぺーじ》まで、したの　えを
きりとって　うえの　えに　はりましょう。１０まい　できあがったら、
この　ページ《ぺーじ》の　えを　ひょうしに　して　えほんに　しましょう。

※━━━は、おうちのかたが先に切りとってあげてください。

なまえ

きょうは　キャンプ《きゃんぷ》へ　でかけるよ。
すいとうを　もって、ぼうしを　かぶって、
じゅんび　よし。
□ちゃんも　いこうね。

①

のりしろ（ここは　さいごに　はりあわせます。）

↑ まず、ここを　きりはなしてから、すすめましょう。

━━を　きって、ぼうし、すいとう、くつを
うさぎさんに　はりましょう。

おうちのかたへ

上の□には、お子さまの名前を書きいれてください。すいとうをはる位置がわかりにくいかもしれません。お子さまがとまどっているようなら、すいとうのひもの位置を教えてあげてください。

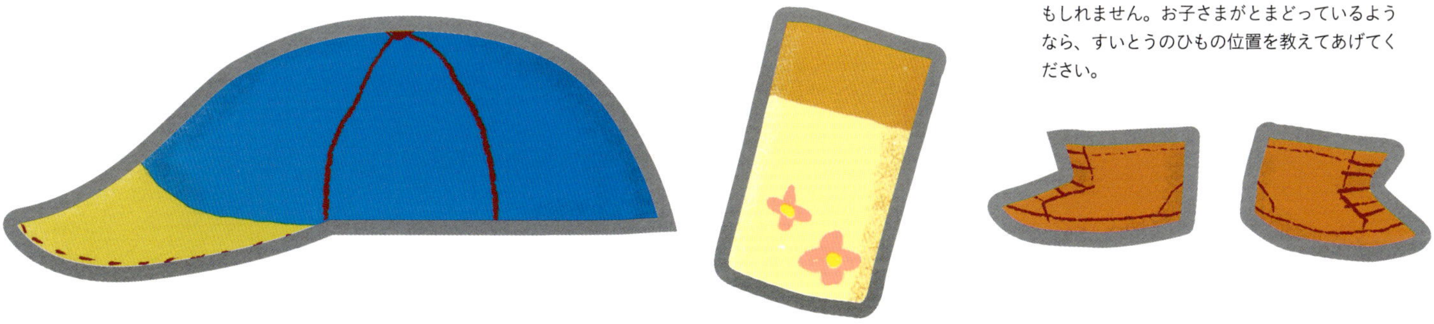

※— – —せんは、たにおりする　せんです。

の　り

の　り

の　り

の　り

の　り

バス《ばす》に のって
さあ しゅっぱつ！
ぶたさんも
くまさんも
みんな のっているね。

のりしろ（ここは さいごに はりあわせます。）

②

↑ まず、ここを きりはなしてから、すすめましょう。

——を きって、バス《ばす》に まどを はりましょう。

おうちのかたへ
窓は、お子さまのすきな順番ではりましょう。このページがおわったら、裏にのりをつけて、①の裏にはりましょう。紙の端にだけのりをつけると、きれいにできあがります。

※— — —せんは、やまおりする せんです。

のり

のり

のり

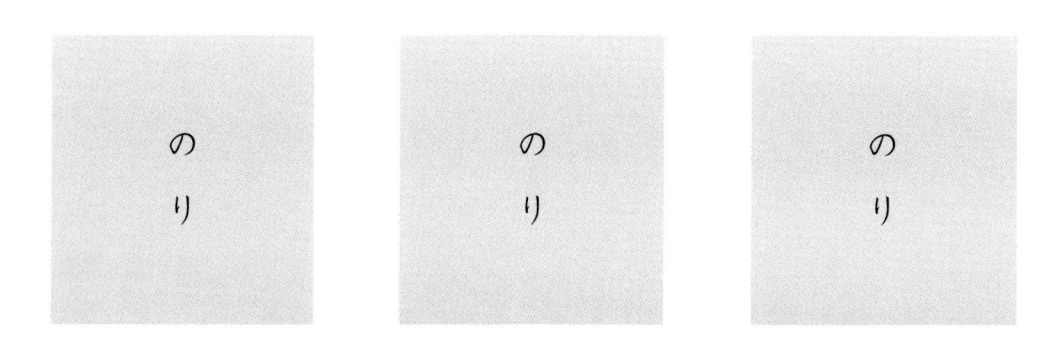

おおきな　やまが　みえてきた。
あんまり　たかい　やまだから、
ちょうじょうが　みえないよ。

のりしろ（ここは　さいごに　はりあわせます。）

③

――を　きって、やまの
ちょうじょう、バ《ば》ス《す》、かんばんを
はりましょう。

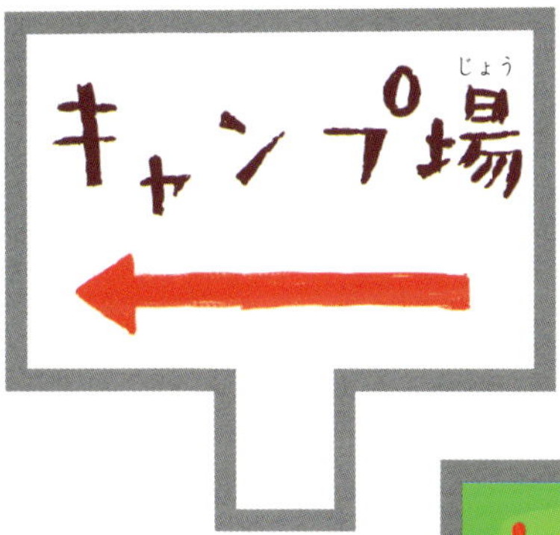

▶かんばん

↑ まず、ここを
きりはなしてから、
すすめましょう。

おうちのかたへ

ーーーで山折りにして、山の頂上をはります。お子さまが折るのが難しいようなら、おうちのかたが手助けしてあげてください。

▶やまの
ちょうじょう

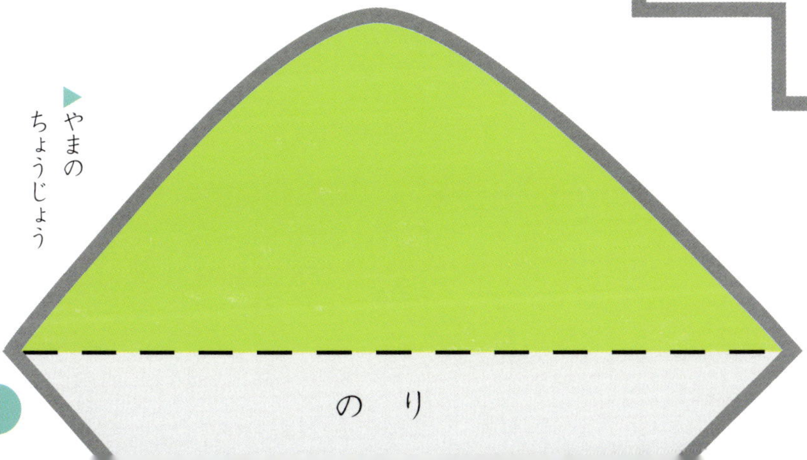

のり

▶バ《ば》ス《す》

※――ーーせんは、たにおりする　せんです。

のり

のり

のりしろ（ここは　さいごに　はりあわせます。）

キャンプ《きゃんぷ》じょうに
とうちゃくだ！
きれいな　ちょうが
いるよ。
□　ちゃんは
なにして　あそぶ？

④

——を　きって、ちょうの　はねを　はりましょう。

↑まず、ここを
きりはなしてから、
すすめましょう。

おうちのかたへ

上の□には、お子さまの名前を書きいれてください。はねをはったら、動かしてあそんでみましょう。このページがおわったら、裏にのりをつけて、③の裏にはりましょう。紙の端にだけのりをつけると、きれいにできあがります。

※— — —せんは、やまおりする　せんです。

の　り

の　り

きの　おうちが　あるよ。
うさぎさん、おちないように
きを　つけてね。

⑤

のりしろ（ここは　さいごに　はりあわせます。）

━━を　きって、きの　おうちに　はしごを
はりましょう。

↑まず、ここを　きりはなしてから、
すすめましょう。

※━ ‐ ━せんは、たにおりする　せんです。

のりしろ（ここは　さいごに　はりあわせます。）

のり
さあ、かわくだりに　でかけよう。
わにさん、みちあんないを
よろしくね。
⑥

↑ まず、ここを きりはなしてから、
すすめましょう。

━━を　きって、はたと　さかなを
はりましょう。

わにの いかだ

◀はた

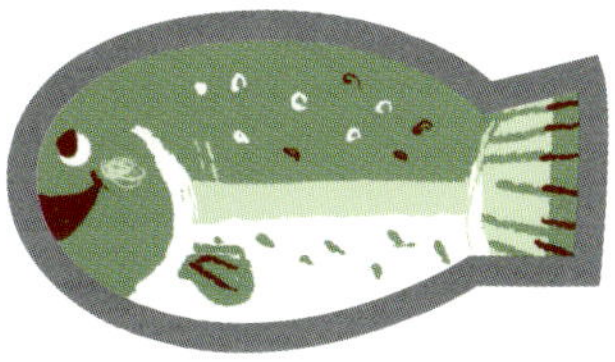

▲さかな

▲さかな

おうちのかたへ

魚は、お子さまのすきなところにはりましょう。
このページがおわったら、裏にのりをつけて、⑤の裏にはりましょう。紙の端にだけのりをつけると、きれいにできあがります。

※— — —せんは、やまおりする　せんです。

の　り

の　り

の　り

のりしろ（ここは さいごに はりあわせます。）

もう おなかが ぺこぺこだよ。
みんなで ごはんの じゅんびを しよう。

⑦

――を きって、りょうりを はりましょう。

↑ まず、ここを きりはなしてから、すすめましょう。

※— — —せんは、たにおりする せんです。

の り

やけた、やけた。バーベキュー《ばーべきゅー》だよ。

はふ　はふ　もぐ　もぐ　おいしいな。

□ちゃんも　たくさん　たべてね。

のりしろ（ここは　さいごに　はりあわせます。）

↑まず、ここを　きりはなしてから、すすめましょう。

——を　きって、くしに　にくと　やさいを　はりましょう。

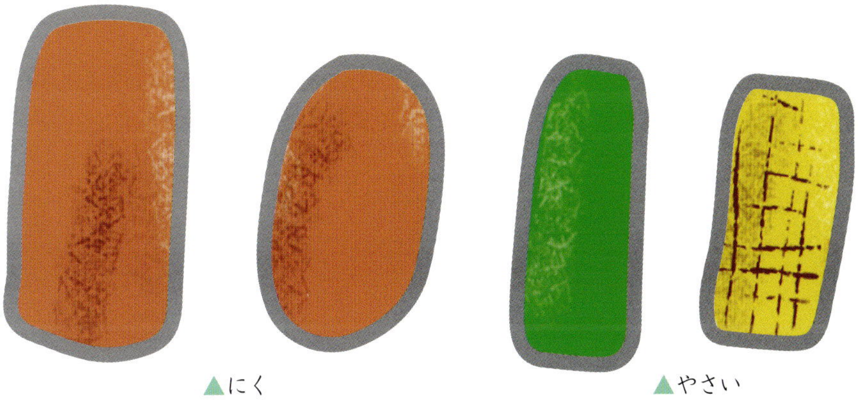

▲にく　▲やさい

おうちのかたへ

肉と野菜は、お子さまのすきな順番ではりましょう。上の□には、お子さまの名前を書きいれてください。このページがおわったら、裏にのりをつけて、⑦の裏にはりましょう。

※— — —せんは、やまおりする　せんです。

のり
のり
のり
のり

よるは　みんなで　はなびを　するよ。まるで　はなが　さいたみたい。

⑨

のりしろ（ここは　さいごに　はりあわせます。）

——を　きって、ぼうの　さきに　はなびを　はりましょう。

↑ まず、ここを　きりはなしてから、すすめましょう。

おうちのかたへ
お子さまが、花火をはる位置に迷っていたら、ぼうの先にはることを教えてあげてください。

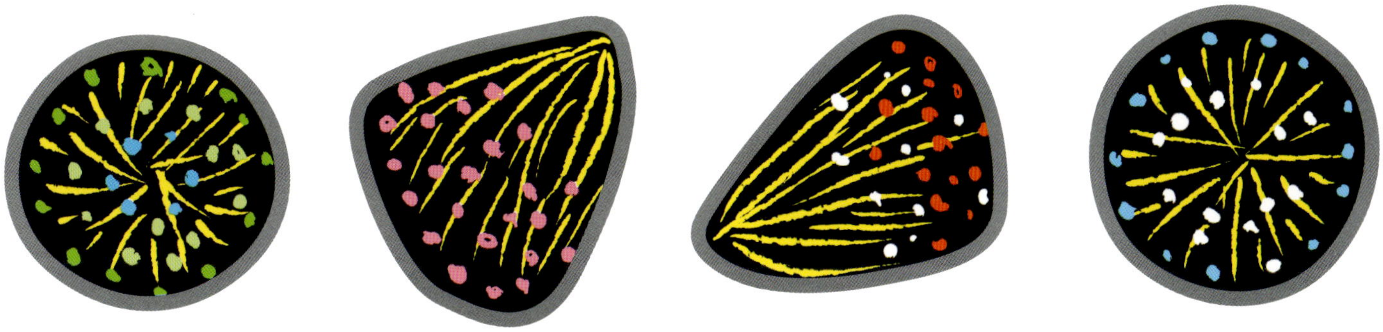

※— – —せんは、たにおりする　せんです。

のり
のり
のり
のり

そろそろ　ねる　じかんだよ。
きょうは　たくさん　あそんだね。
□ちゃんも　おやすみなさい。
また　あした、あそぼうね。

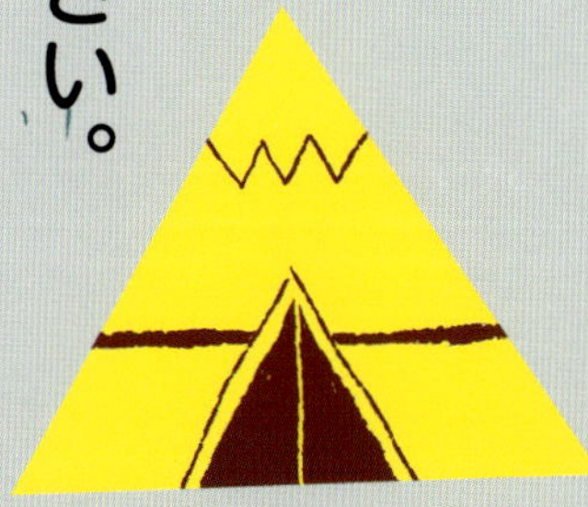

のりしろ（ホッチキス《ほっちきす》を　つかう　ときは　けがを　しないように　ちゅういしましょう。）

↑ まず、ここを　きりはなしてから、すすめましょう。

━━を　きって、すきな
ところに　テント《てんと》を　はりましょう。

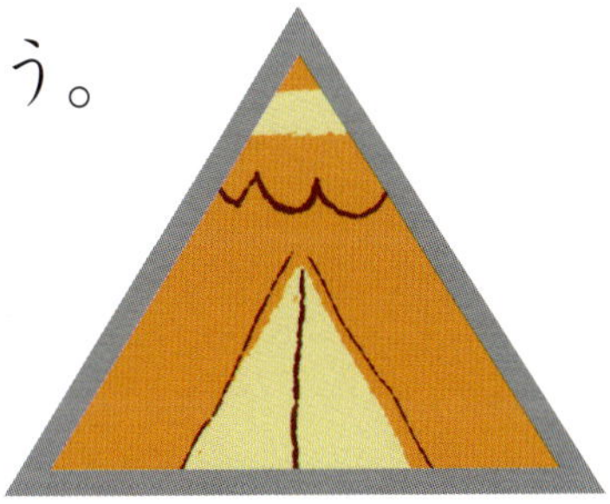

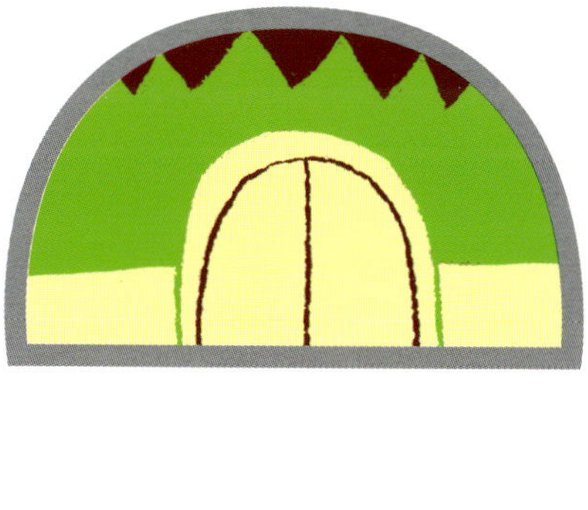

おうちのかたへ

上の□には、お子さまの名前を書きいれてください。このページがおわったら、裏にのりをつけて、⑨の裏にはりましょう。

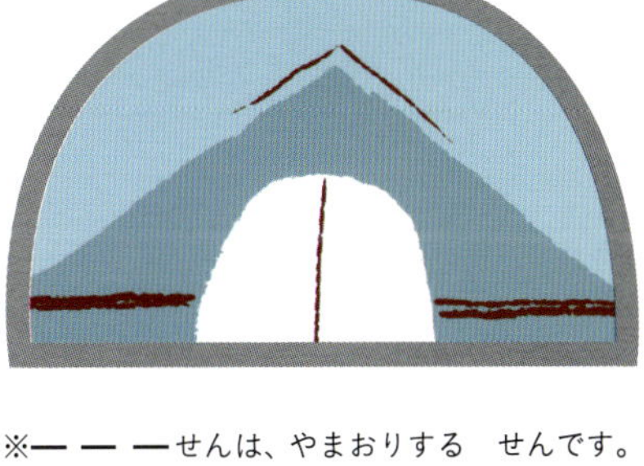

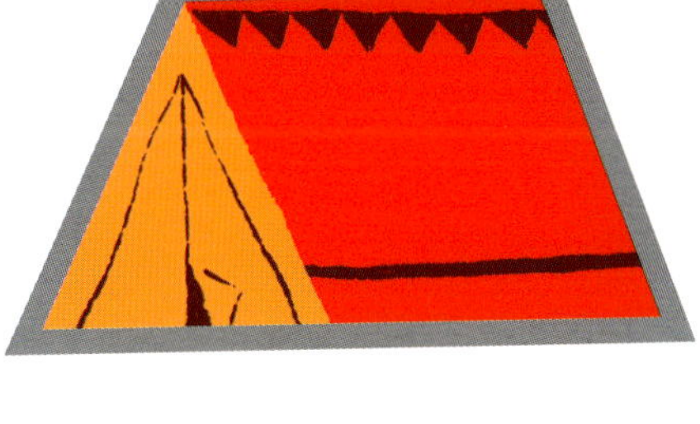

※━ ━ ━せんは、やまおりする　せんです。

の り

の り

の り

の り

商品アンケート（Web回答）ご協力のお願い

図書カードプレゼント！

この度は、くもん出版の商品をお買い上げいただき、誠にありがとうございます。

わたしたちは、出版物や教育関連商品を通じて子どもたちの未来に貢献できるよう、日々商品開発を行っております。

今後の商品開発や改訂の参考とさせていただきますので、本商品につきまして、お客さまの率直なご意見・ご感想をお聞かせください。

Webアンケートにご協力いただきますと、図書カードを抽選でプレゼントいたします。

＊「図書カード」の抽選結果発表は、賞品の発送をもってかえさせていただきます。

こちらから

くもんの こどもえんぴつ

太くて握りやすいので正しい持ち方が身につく、くもんオリジナルえんぴつのシリーズです。

にぎりやすい太めの三角形

こどもえんぴつ6B
年齢のめやす：2・3・4歳
6本セット／長さ12cm

こどもえんぴつ4B
年齢のめやす：3・4・5歳
6本セット／長さ15cm

こどもえんぴつ2B
年齢のめやす：4・5・6歳
6本セット／長さ17cm

こどもいろえんぴつ
青、黄、赤、緑、茶、オレンジ
6本セット／長さ12cm

こどもえんぴつけずり　青／赤

こどもえんぴつ もちかたサポーター　2個入り

三角えんぴつホルダー　3本入り

三角えんぴつキャップ　6個入り

できたね！シート

1まい おわったら、すきな シールを「できたね！シート」に 1まいずつ はりましょう。
ぜんぶ おわったら、おおきな シールを うらの ひょうしょうじょうに はりましょう。

1	2	3	4	5	6	7	8
9	10	11	12	13	14	15	16
17	18	19	20	21	22	23	24
25	26	27	28	29	29-1	29-2	29-3
29-4	29-5	29-6	29-7	29-8	29-9	29-10	

おおきな シールは うらに はってね！

くもん出版 SNS 公式アカウント
お子さまの学びにつながる情報を発信中！

Instagram（@kumon_publishing）
くもん出版の社員がカメラを手に投稿中。
プレゼントキャンペーンも随時開催しています。

X（@kumonshuppan）
くもん出版の now！がわかる。新刊・新商品情報はこちらでチェック。

YouTube（@KUMONSHUPPAN）
商品の使い方動画、専門家や著者の
スペシャルインタビュー動画などを掲載中。

Facebook（@kumonshuppan）
お子さまやお孫さまへのプレゼントを選ぶならこちら。

note（@くもん出版）
商品の開発秘話、著者のインタビューなど、
商品の裏側を知りたいかたはこちら。

くもんの幼児ドリルについて
お知りになりたいお客さまへ

くもん出版公式ウェブサイトでは、
幼児ドリルについてのさまざまな情報を掲載しております。
詳しくお知りになりたいお客さまは、ウェブサイトをご覧ください。

トップページ

シリーズ紹介

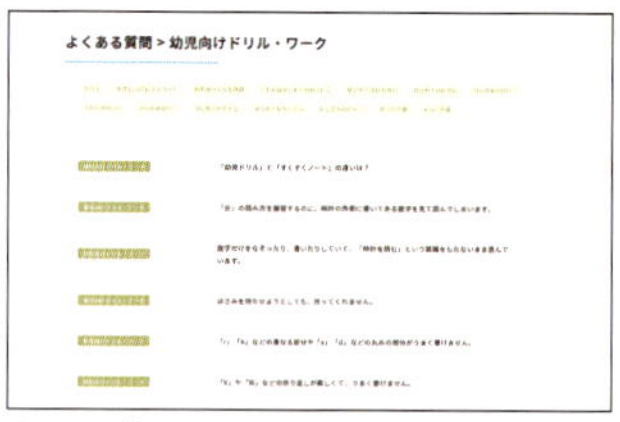

よくある質問

KUMON SHOP（公式オンラインショップ）

くもん出版ウェブサイト
https://www.kumonshuppan.com/

くもん出版 検索

きりとり線

がんばったね！

ひょうしょうじょう

どの

あなたは、
『はじめてのかみこうさく1集《しゅう》』を
さいごまで　おえました。
ここに　ひょうしょうします。
これからも　がんばってください。

年　月　日

より

おおきな　シールを
ここに　はりましょう。

＊おうちのかたへ　お子さまの名前と終了した年月日を書き入れて、「できたね！ シール」から、大きなシールをはりましょう。